अपर छाता नीचे हम।
Upar chaatha neeche hum.

Baadal garje

बादल गरजे, गड़ गड़ गड़,
बिजली कड़के, कड़ कड़ कड़
पत्ते हिलते, सर सर सर,
मेढक बोले, टर्र टर्र टर्र,
बच्चे भागें, धम धम धम,
पानी बरसे, छम छम छम।

Baadal garje, gad gad gad,
Bijli kadke, kad kad kad,
Patte hilte, sar sar sar,
Mendak bole, tarr tarr tarr,
Bachhe bhaagein, dham dham dham,
Paani barse, cham cham cham.

Machali jal ki

मछली जल की रानी है,
जीवन उसका पानी है।
हाथ लगाओगे, तो डर जाएगी
बाहर निकालोगे, तो मर जाएगी
पानी में डालोगे, तो जी जाएगी।

Machli jal ki rani hai,
Jeevan uska paani hai.
Haath lagaoge, toh dar jayegi
Baahar nikaloge, toh mar jayegi
Paani mein daaloge, toh jee jayegi.

Aloo-kachalu

आलू कचालू
बेटा, कहाँ गए थे?
बैंगन की टोकरी में
सो रहे थे।
बैंगन ने लात मारी
रो रहे थे।

Aloo kachalu
Beta, kahaan gaye the?
Baingan ki tokri mein
So rahe the.
Baingan ne laath maari
Ro rahe the.

मम्मी ने प्यार किया
हँस रहे थे।
पापा ने पैसे दिये,
नाच रहे थे।
भैया ने लड्डू दिये
खा रहे थे।

Mummy ne pyaar kiya
Hans rahe the.
Papa ne paise diye,
Naach rahe the.
Bhaiyya ne laddu diye
Khaa rahe the.

Bachhon khao

बच्चों खाओ कच्ची गाजर।
नींबू खीरा और टमाटर

Bachhon khao kacchi gaajar.
Neembu kheera aur tamaatar

लाल लाल तुम बन जाओगे
सुन्दर बच्चे कहलाओगे।

Laal laal tum ban jaoge
Sundar bachhe kehlaoge.

Akkad Bakkad

अक्कड़ बक्कड़ बम्बे बो
अस्सी नब्बे पूरे सौ।

Akkad bakkad bambe bo
Assi nabbe pure sau.

सौ में लगा धागा
चोर निकल के भागा।

Sau mein laga dhaaga
Chor nikal ke bhaaga.

Poshampa

पोषम्पा भई पोषम्पा
डाकुओं नें क्या किया?
सौ रूपये की घड़ी चुराई

Poshampa bhai poshampa
Daakuon ne kya kiya?
Sau rupaye ki ghadi churaayi

अब तो जेल में जाना पड़ेगा
जेल की रोटी खानी पड़ेगी।
जेल का पानी पीना पड़ेगा,
अब तो जेल में जाना पड़ेगा।

Ab toh jail mein jaana padega
Jail ki roti khaani padegi.
Jail ka paani peena padega,
Ab toh jail mein jaana padega.

Chanda Mama
gol gol

चंदा मामा
गोल गोल
मम्मी की बिंदी
गोल गोल।
मम्मी की रोटी
गोल गोल,
पापा के पैसे
गोल गोल।

Chanda mama
gol gol
Mummy ki bindi
gol gol.
Mummy ki roti
gol gol,
Papa ke paise
gol gol.

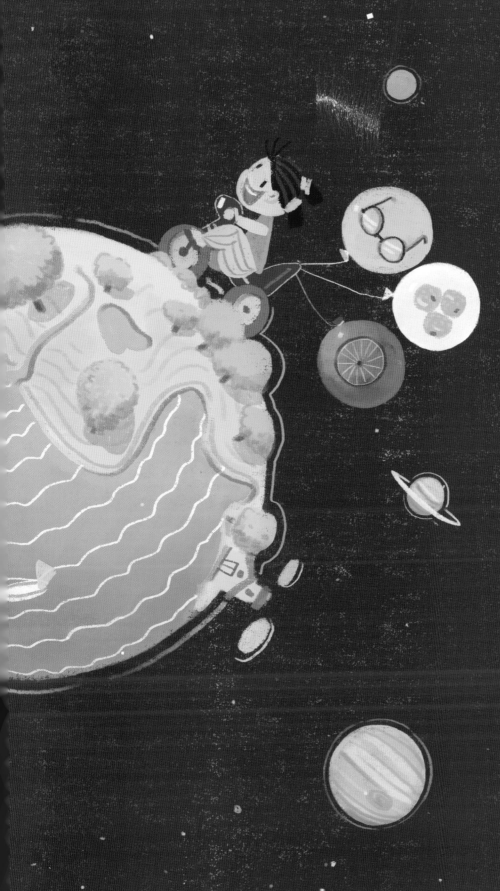

नानाजी का
चश्मा
गोल गोल,
नानी के लड्डू
गोल गोल।
साइकिल का
पहिया
गोल गोल,
सारी दुनिया
गोल गोल।

Nanaji ka
chashma
gol gol,
Nani ke laddu
gol gol.

Cycle ka
pahiya
gol gol,
Saari duniya
gol gol.

Chanda Mama
door ke

चंदा मामा दूर के
पुए पकाए गुड़ के

Chanda mama door ke
Puye pakaye gud ke

आप खाएं थाली में
मुन्ने को दे प्याली में।

Aap khayein thaali mein
Munne ko de pyaali mein.

नयी प्याली लाएँगे
मुन्ने को मनाएँगे।

Nayi pyaali layenge
Munne ko manayenge.

प्याली गयी टूट
मुन्ना गया रूठा।

Pyaali gayi toot
Munna gaya rooth.